Je bent een koukleum!

Lieneke Dijkzeul
tekeningen van Gitte Spee

Fleur zit op de bank.
Ze gaapt.
Ze tikt met haar voet op de vloer.
'Fleur, laat dat,' zegt mama.
Fleur zucht.
'Ik heb niks te doen.'
'Pak je boek,' zegt mama.
'Ik weet wat, Fleur,' zegt papa.
'Ga je mee naar het park?'
'Nee,' zegt Fleur.
'Veel te koud.
Ik hou niet van kou.'
Maar papa staat al.
'Dat rijmt!' lacht hij.
'Kom op!
Kou is juist fijn.'

3

Fleur pakt vlug haar boek.
'Ik lees!' zegt ze.
Ze heeft het boek al uit.
Maar dat weet papa niet.

Papa pakt haar bij haar arm.
'Jij zit veel te veel in huis.
Je bent een koukleum.
Kom, doe je jas aan.
Muts op, sjaal om.
Het park rond.
En dan weer naar huis.'

'Doe het maar,' zegt mama.
'Ja maar, ik wil niet!' roept Fleur.
'Een beetje kou is niet erg,' zegt papa.
'Daar word je stoer van.'
Fleur kijkt boos.
Wie wil er nou stoer zijn.
Zij niet!

In het park is geen mens.
Het hok van de hertjes is dicht.
En er is geen eend te zien.

Fleurs neus ziet rood van de kou.
'Kijk,' wijst papa.
'Er ligt al ijs op de sloot.'
Fleur zegt niets.
Ze wil naar huis.
Daar is het warm!

'Wat hoor ik toch?' zegt papa.
'Hoor jij het ook?
Er piept iets!'
'Ik hoor niks,' zegt Fleur.
'Daar!' roept papa.
Hij holt naar een boom.
Hij loopt om de stam heen.
'Fleur!
Kom eens hier!'

Bij de boom staat een doos.
En in die doos...
'Och!' zegt Fleur.
In de doos ligt een poes.
Ze is bruin.
Bruin met een wit puntje aan haar staart.
De poes blaast.
Haar staart is dik.
'Kijk uit!' zegt papa.
'Ze is boos.'

En dan ziet Fleur het pas.
De poes heeft een jong!
Het is grijs.
En het piept.

'Papa!' zegt Fleur.
Papa knikt.
'Het is pas een paar uur oud.
Kijk, de oogjes zijn nog dicht.'

'Wat vals!' zegt Fleur.
Ze huilt haast.
'Wie doet dat nou!
Zo gaat het dood.
Het is veel te koud!'

Fleur doet haar want uit.
Ze aait het poesje.
De poes blaast weer.
Haar poot schiet uit.
'Au!'

9

Fleur kijkt naar haar hand.
Daar zit een kras op.
'Laat haar maar,' zegt papa.

Fleur zuigt op haar hand.
'Maar pap!
Het poesje moet mee.
Zo gaat het dood!'
'Dat snap ik,' zegt papa.
'Maar hoe doen we dat?'
'Nou, in de doos,' zegt Fleur.
'Dat kan niet,' zegt papa.
'Die poes wil niet.
Maar ze moet juist wel mee.
Want zij heeft melk voor haar jong.'

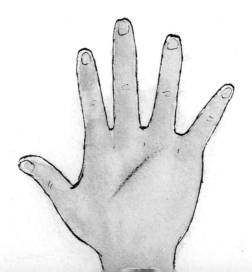

Papa tilt de doos op.
De poes schiet de doos uit.
Roets!
Daar zit ze in de boom.
Hoog op een tak.

'Daar heb je het al,' zegt papa.
'Wat nu?'
'Ik weet wat!' roept Fleur.
'Jij neemt het poesje mee naar huis.
In de doos.
En ik blijf hier.'
'En dan?'
'Ik lok de poes uit de boom.'
'Dat lukt je niet,' zegt papa.
'Ze is veel te bang.'

Fleur kijkt naar de poes.
Haar staart is nog dik.
Maar de poes zelf is dun.
Haar vel zit los om haar heen.

Fleur lacht.
'Ik weet het!
Jij neemt het poesje mee.
En je haalt wat vlees en melk.
Dan komt ze wel!'

'Dat is slim,' zegt papa.
Hij tilt de doos weer op.
'Tot zo!'

Papa blijft lang weg.
Fleur loopt om de boom heen.
Wat is het koud!
Haar neus lijkt wel van ijs.

Daar is papa weer.
Hij heeft een schaal vol melk.
En stukjes vlees.
'De melk is nog warm,' zegt papa.

Fleur zet de schaal neer.
'Poes, poes!' roept ze.

De poes zit doodstil.
Ze kijkt naar de melk.
Haar staart gaat heen en weer.
Ze likt om haar bek.

'Let op,' zegt papa.
Hij tilt de schaal op.
'Kom dan!'

'Sss!'
De poes blaast.

'Niet doen,' zegt Fleur zacht.
'Ze is bang voor jou.
Jij bent te groot.
Laat mij maar.'

Fleur zet de schaal neer.
Dan loopt ze weg.
Niet ver.
Een klein eindje maar.

De poes loert naar de schaal.
En naar Fleur.
En weer naar de schaal.

Roets, roets!
De poes valt haast.
Zo vlug klimt ze uit de boom.

Naast de stam staat ze stil.
Neus in de lucht.
'Ze ruikt de melk,' zegt papa.
'Sst!' zegt Fleur.

De poes sluipt naar de schaal.
Pootje voor pootje.
Ze ruikt aan het vlees.

Hap, slik!
De poes eet.
Ze let niet meer op Fleur en papa.

Fleur doet een stap.
Nog een...
Ze sluipt naar de poes.
Voetje voor voetje.

De poes eet maar door.
Fleur bukt zich.
Ze trekt de schaal weg.
Een klein stukje.
Nog een stukje...

De poes eet door.
Fleur trekt weer.
De poes kijkt op.
Fleur laat de schaal los.
'Eet maar,' zegt ze zacht.
'Dat is goed voor je.'

De poes kijkt Fleur aan.
'Toe maar,' zegt Fleur.
'Kom, schiet op.
Je kind wacht op je.'
De poes eet weer door.

Fleur pakt de schaal weer beet.
Trek, eet.
Trek, eet.
'Goed zo,' zegt papa.
'Hou vol, Fleur!'

Het gaat niet vlug.
En het duurt erg lang.
Fleur rilt van de kou.
Haar neus is paars.
Haar mond is stijf.
Haar rug doet zeer.
Maar ze houdt vol.
Het park uit.
Stoep op, stoep af.

De schaal is haast leeg.
Papa geeft Fleur een snee brood.
Die zat nog in zijn jas.
Fleur maakt er brokjes van.
Ze sopt ze in de melk.
En de poes eet maar door.

Ze zijn nu dicht bij huis.
Mama staat in de voortuin.
Fleur trekt de schaal het tuinpad op.
Dan zet ze de schaal in de gang.
'Kom poes!'

De poes wil niet.
'Toe nou, poes,' huilt Fleur.
'Ik heb het zo koud.'

Maar dan...

Er piept iets!
De poes hoort het.
Haar staart gaat omhoog.
'Je kind,' zegt Fleur.
'Je kind roept je!'

Hup!
De poes wipt op de mat.
Ze rent de gang in.
Fleur slaat de voordeur dicht.

'Hé!' roept papa.
'Laat ons er in.
Ik heb het koud!'
'Kijk maar door het raam!' gilt Fleur.

Papa kijkt.
Mama kijkt ook.
Daar ligt de poes.
In de doos.
Naast haar jong.

Hoe is het om dolfijn te zijn?

Ik spetter en ik spat,
ik speel, ik duik,
ik zwem heel vlug,
soms op mijn buik,
soms op mijn rug.
Hoe is het om dolfijn te zijn?
Je ziet het wel:
dat is dol fijn!

Spetter

Serie 1, na 4 maanden leesonderwijs, sluit aan bij *Veilig leren lezen* kern 7.
Serie 2, na 5 maanden leesonderwijs, sluit aan bij *Veilig leren lezen* kern 8.
Serie 3, na 6 maanden leesonderwijs, sluit aan bij *Veilig leren lezen* kern 9.
Serie 4, na 7 maanden leesonderwijs, sluit aan bij *Veilig leren lezen* kern 10.
Serie 5, na 8 maanden leesonderwijs, sluit aan bij *Veilig leren lezen* kern 11.
Serie 6, na 9 maanden leesonderwijs, sluit aan bij *Veilig leren lezen* kern 12.

In Spetter serie 1 zijn verschenen:

Lieneke Dijkzeul: naar zee, naar zee!
Bies van Ede: net niet nat
Vivian den Hollander: die zit!
Rindert Kromhout: een dief in huis
Elle van Lieshout en Erik van Os: dag schat
Koos Meinderts: man lief en heer loos
Anke de Vries: jaap is een aap
Truus van de Waarsenburg: weer te laat?

In Spetter serie 3 zijn verschenen:

Lieneke Dijkzeul: Je bent een koukleum!
Lian de Kat: Stijntje Stoer
Wouter Klootwijk: Lies op de pont
Rindert Kromhout: Feest!
Ben Kuipers: Wat fijn dat hij er is
Paul van Loon: Ik ben net als jij
Hans Tellin: Mauw mag niet mee
Anke de Vries: Juf is een spook

Spetter is er ook voor kinderen van 7 en 8 jaar.

STICHTING NEDERLANDSE
KINDERJURY
2000

avi 2

Boeken met dit vignet zijn op niveaubepaling geregistreerd en
gecontroleerd door KPC Onderwijs Adviseurs te 's-Hertogenbosch.

3 4 5 / 03 02

ISBN 90.276.4218.4 • NUGI **260**/220

Vormgeving: Rob Galema (studio Zwijsen)
Logo Spetter en schutbladen: Joyce van Oorschot

© 1999 Tekst: Lieneke Dijkzeul
Illustraties: Gitte Spee
Uitgeverij Zwijsen Algemeen B.V. Tilburg

Voor België:
Uitgeverij Infoboek N.V. Meerhout
D/1999/1919/43